ᐃᓕᓐᓂᐊᕐᕕᖕᒥ ᐊᑐᓲᒃᑲ

ILINNIARVINGMI ATUSUUKKA

THINGS I USE AT SCHOOL

ᐅᓇ ᑎᑎᕋᐅᑎ.

Una titirauti.

This is a pencil.

ᐅᓇ ᐲᔭᐃᑎ.

Una piijaiti.

This is an eraser.

ᐅᓇ ᑎᑎᕋᕐᕕᒃᓴᖅ.

Una titirarviksaq.

This is a notebook.

ᐅᓇ ᓇᒻᒪᒐᖅ.

Una nammagaq.

This is a backpack.

ᐅᓇ ᓂᐳᑎ.

Una niputi.

This is glue.

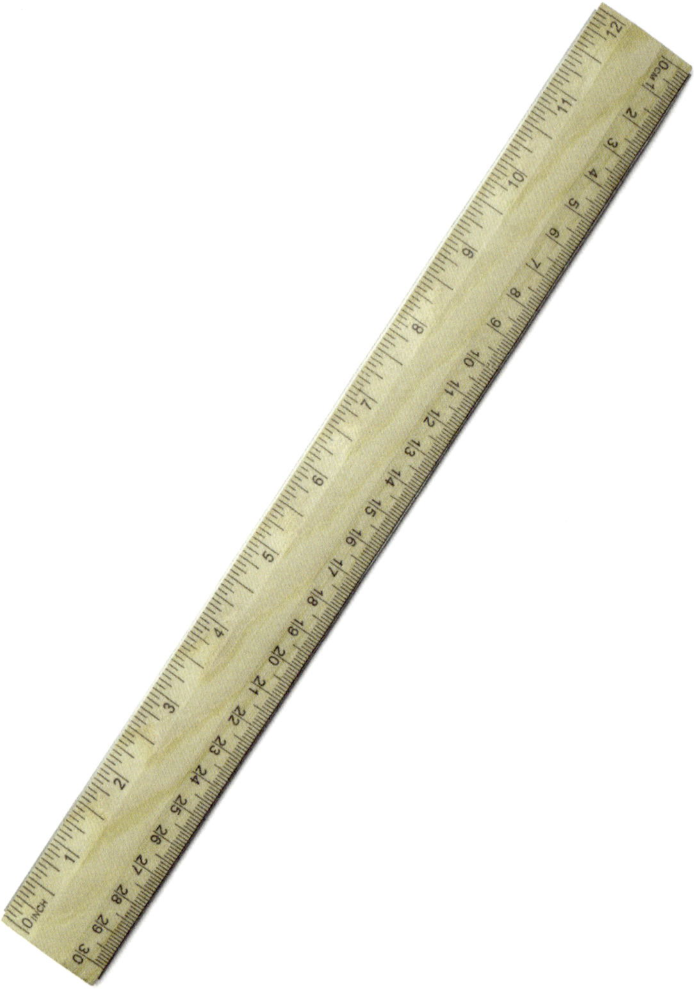

ᐅᓇ ᐆᑦᑐᕋᐅᑎ.

Una uutturauti.

This is a ruler.

ᐅᓇ ᐅᖃᓕᒫᒐᖅ.

Una uqalimaagaq.

This is a book.

ᒦᐊᒃᓱᑦ ᑰᕐᓂᒐᐃᓪᓗ
ᑰᕐᓂᒐᐃᑦ ᐊᒥᖅᑳᓂᕐᒥᒃ
ᐃᓕᕐᑐᑦ

Nunavummi